まちごとインド
北インド012

アーグラ
タージ・マハルと「愛の物語」
［モノクロノートブック版］

JN122280

デリーから南東に200kmに位置し、ジャムナ河西岸に広がるアーグラ。16世紀以降、ムガル帝国の都となり、土着のインド文化と支配者のイスラム文化が融合し、この街に立つタージ・マハルはその最高傑作とされる。

　ペルシャ語で「モンゴル」を意味するムガルは、もともと中央アジアの遊牧騎馬民族を出身とし、1526年にバーブル帝がアーグラに入城したことで、南アジアにムガル帝国が樹立された。第3代アクバル帝の治世（1564年から75年）にアーグラ城が築かれ、北インドを中心とす

る広大な帝国の都がおかれると街の繁栄は頂点に達した（19世紀まで200年以上帝国は続いた）。

18世紀になるとマラータ同盟やイギリスの侵攻で、やがてムガル帝国はアーグラ城を明け渡し、政治の舞台はデリーやコルカタへと遷っていった。現在、アーグラはタージ・マハル、アーグラ城、近郊にファテープル・シークリーという世界遺産を抱え、ムガル帝国の栄華を今に伝えている。

Asia City Guide Production
North India 012
Agra
आगरा / آگرہ

| まちごとインド | 北インド 012 |

アーグラ

タージ・マハルと「愛の物語」

アジア城市（まち）案内 制作委員会
まちごとパブリッシング

Contents

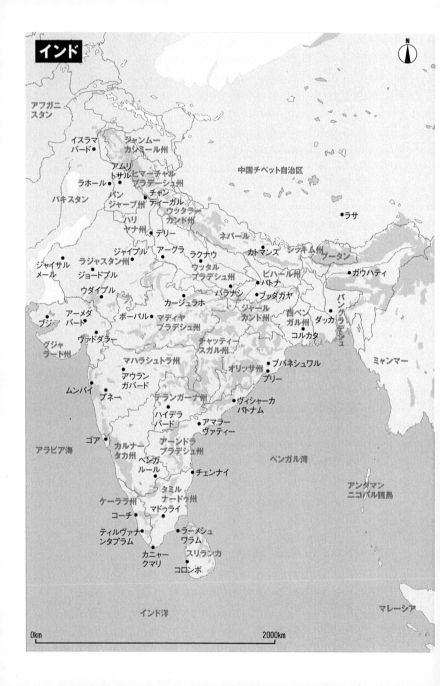

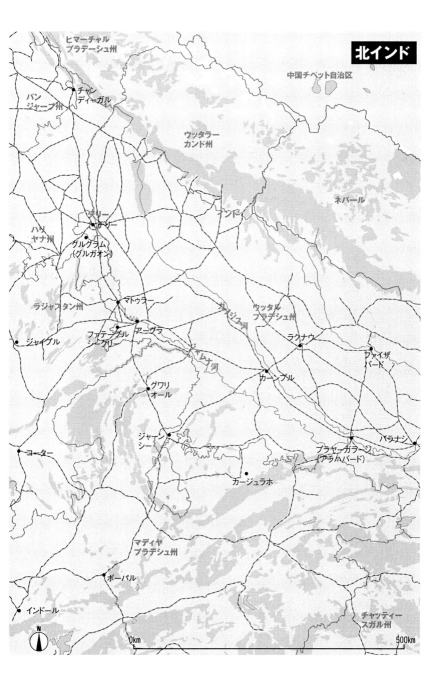

赤と白の都訪ねて

デリーから南東200kmに位置するアーグラ
ジャムナ河の恵みで育まれたこの街に
白大理石と赤砂岩を使った巨大な建築が残る

インドと、イスラムと

　中世、ムガル帝国の都がおかれ、「地上でもっとも美し
い建築」とたたえられるタージ・マハルが残るアーグラ。
赤色のアーグラ城、白亜のタージ・マハルというふたつの
世界遺産は、それぞれインドで採れる赤砂岩や白大理石
をもちいて造営され、ここでイスラム建築様式とインド
の風土が融合を見せた。アーグラ城を造営した第3代アク
バル帝は、少数の統治者が信仰するイスラム教と、住民の
多くが信仰するヒンドゥー教というふたつの宗教を互い
に尊重し、ヒンドゥー教の意匠とイスラム教のアーチを
組み合わせるなど、インド・イスラム文化が花開いた（ムガ
ル帝国成立以前のデリー・サルタナット朝時代から、異なる宗教の融和が
課題で、北西インドは歴史を通してイスラム教の影響を受けることになっ
た）。

愛する皇妃のために

　タージ・マハルはムガル帝国第5代シャー・ジャハーン
帝によって、愛する亡き妻ムムターズ・マハルを葬る墓廟
として造営された。白大理石を使った白のたたずまい、完
璧な左右対称と美しい曲線を見せるドーム、高さと横幅

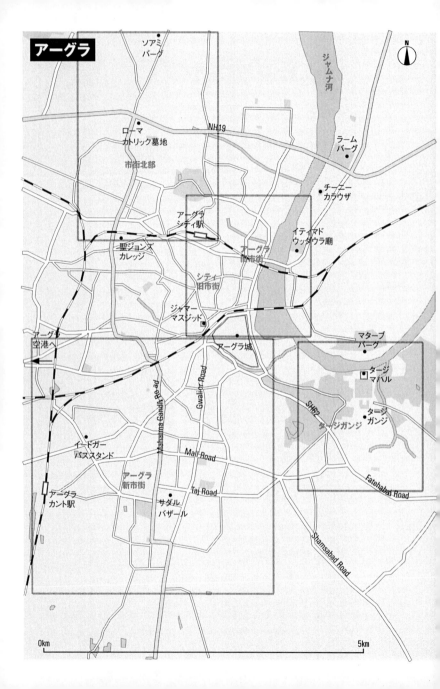

の等しいプロポーション、その本体に添うように4本のミナレットが立つ。タージ・マハルの造営には22年の歳月と莫大な財産がそそぎこまれ、それゆえムガル帝国の財政基盤は傾いたと言われる。結果、シャー・ジャハーン帝はムムターズ・マハルとの子アウラングゼーブ（第6代皇帝）にアーグラ城に幽閉されてしまった。シャー・ジャハーンは死ぬまで8年のあいだ、毎日、幽閉された部屋の窓から、タージ・マハルを眺めては亡き妻を想って涙に暮れていたのだという。

アーグラ街の構成

アーグラはジャムナ河のほとりに位置し、ジャムナ河が硬い地盤にあたって流れを変える場所にタージ・マハルが立つ。またその西方に河を背にしてムガル王城がおかれていたアーグラ城が残り、その門前にジャマー・マスジッド、シティと呼ばれる旧市街が広がる。また西側のアーグラ・カント駅とその東側の地域は比較的新しく開発された地区となっている。

***
タージ・マハル Taj Mahal
アーグラ城 Agra Fort
**☆☆
イティマド・ウッダウラ廟 Mausoleum of Itimad ud Daula
★☆☆
モール・ロード Mall Road
サダル・バザール Sadar Bazar
シティ City
ジャマー・マスジッド Jamma Masjid
ジャムナ河 Jamuna River
チーニー・カ・ラウザ Chini Ka Rauza
ラーム・バーグ Ram Bagh
マターブ・バーグ Mehtab Bagh
ソアミ・バーグ Soami Bag
ローマ・カトリック墓地 Roman Catholic Cemetery
聖ジョンズ・カレッジ St. John's College

赤砂岩の壁面、門はイスラム様式

ジャムナ河のほとりに立つタージ・マハル

門楼からのぞくタージ・マハル

ヒンドゥー様式とイスラム様式の融合、アーグラ城にて

美しさ地上最高の建築

緻密に計算された完璧なプロポーション
見る者の心を奪う色彩の白
この世にふたつとない「白大理石の夢」

インド・イスラム建築の最高傑作

　タージ・マハルの造営にあたっては、インドだけでなく、イスラム世界からも一流の建築家や技術者、職人が呼ばれることになった。緻密なまでに計算し、何度も設計図が描かれ、模型がつくられた。こうしてできたドームをもつ墓廟本体、視覚効果が計算されたミナレット、アーチ型の門、十字形の庭園など「地上でもっとも美しい建築」とたたえられる。南門を抜けると劇的に視界が開け、堂々とした様子のタージ・マハルが目に入る。

左右対称の美

　美しい曲線を見せるドーム、同じ高さと横幅をもつプロポーション、本体を支えるように立つ4本のミナレット、また前面にある庭園チャハール・バーグも左右対称で設計されている。この左右対称の美は古代から中世にかけてペルシャで育まれたもので、イスラム世界で広く使われてきた。

遠近法の活用

　タージ・マハル本体を正面から見ると前方の2本はより高く見え、奥のミナレットはより低く見える（実際には四隅のミナレットの高さは同じ）。またタージ・マハル本体へと向かって伸びるように見える水路もダイナミックな空間を演出している。これらの視覚効果は遠近法が十分に計算されていて、劇的な効果を見る者へ印象づける。

完璧なプロポーション

　一辺57mの正方形の四隅を切り落とした八角形の平面プランをもつタージ・マハル。また本体の高さは58mのため、縦横がほとんど同じ長さとなっている。一般的なイスラム建築にくらべて高さの比率が大きく、地上から見れば迫力がある。さらに安定感が悪くならないように周囲4本のミナレット（42m）で視覚的なバランスをとるなどの工夫がされている。

白大理石の地面、夏はかなり熱い

遠近法が生む視覚効果

タージ・マハルの楼門、ここからなかに入る

豊かなヒゲを蓄えたご老人

Taj Ganj
タージガンジ城市案内

堂々とした白亜のタージ・マハル
タージ・ガンジはその門前町にあたり
タージ観光の拠点になる

タージ・ガンジ ★☆☆
Taj Ganj ⓣ ताजगंज ⓗ ६६६

　タージ・マハルの南側に隣接するムガル時代以来の市場のタージ・ガンジ。当時はムムターザバード（ムムターズの街）ともいい、タージ・マハルの南門を起点に対称にバザールが伸びる。またその南側は路地が入り組んでいて、絨毯、工芸品をあつかう店、ホテルやレストランなどが集まる。

アーグラの食べもの

　ムガル帝国の都がおかれたアーグラでは、その時代からの伝統をもつムガル料理、肉料理、スナックなどが食べられている。かぼちゃや野菜からつくった甘いお菓子の「ペタ」、ナッツ、スパイス、レンズ豆、油を混ぜたスナックの「ダルモス」、ジャガイモ、カリフラワー、ニンジン、チーズなどが入ったムガル料理の揚げパン「パラタ」、ポテトの入ったスパイシーな揚げパンの「ベッハイ」、熱い砂糖のシロップをかけたお菓子の「ジャレビ」、ポテトとひよこ豆のスナック「チャート」などが知られる。これらの軽食の店は、サダル・バザール、キナリ・バザール、MGロード、タージ・ガンジなどで見られる。

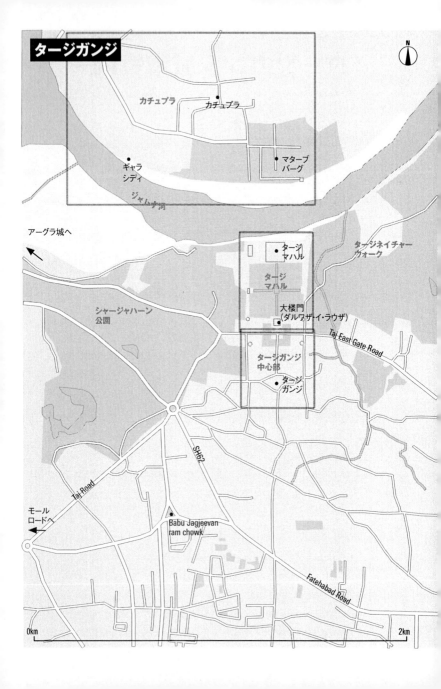

タージガンジ

N

カチュプラ
● カチュプラ

● マターブ
バーグ

● ギャラ
シディ

ジャムナ河

アーグラ城へ

● タージ
マハル

タージネイチャー
ウォーク

タージ
マハル

大楼門
(ダルワザーイ・ラウザ)

シャージャハーン
公園

Taj East Gate Road

タージガンジ
中心部

● タージ
ガンジ

SH62

Taj Road

モール
ロードへ

● Babu Jagjeevan
ram chowk

Fatehabad Road

0km   2km

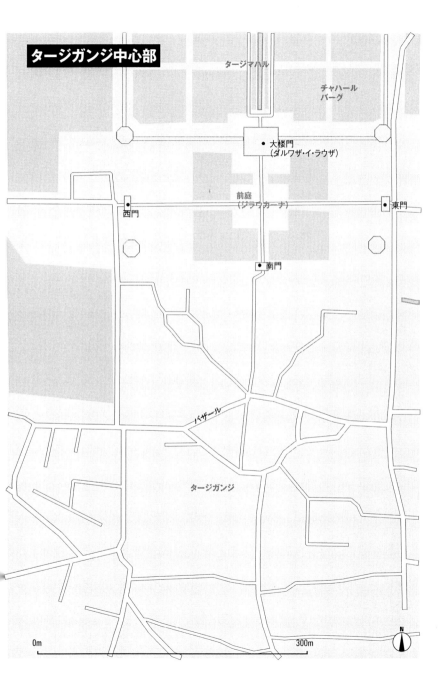

タージガンジ中心部

タージマハル

チャハール
バーグ

● 大楼門
（ダルワザ・イ・ラウザ）

前庭
（ジラウカーナ）

西門

● 東門

● 南門

バザール

タージガンジ

0m

300m

N

前庭 ★☆☆

Jilaukhana ⓗ जिलौखाना ⓤ جلوخانه

　　タージ・マハルの前庭はジラウカーナ(家の前)と呼び、来訪者はここで象や馬から降りてタージに向かった。東、西、南の3つの門があり、前庭の北門が大楼門ダルワザ・イ・ラウザになる。東西の門は同じで、南門は少し幅が広い。ムムターズの侍女の墓も見られる。

タージ・ネイチャー・ウォーク ★☆☆

Taj Nature Walk ⓗ ताज नेचर वॉक／ⓤ تاج نیچر واک

　　タージ・マハルの東門の外、ジャムナ河ほとりに広がる70ヘクタールにおよぶ緑と自然。この森には動植物が生息し、この自然に触れるタージ・ネイチャー・ウォークの舞台となっている。イスラム聖者廟が点在し、見る場所によってタージ・マハルは姿を変えていく。

★★★
タージ・マハル Taj Mahal
★★☆
大楼門 Darwaza-i-Rauza
★☆☆
タージ・ガンジ Taj Ganj
前庭 Jilaukhana
タージ・ネイチャー・ウォーク Taj Nature Walk
チャハール・バーグ Chahar Bagh
ジャムナ河 Jamuna River
マターブ・バーグ Mehtab Bagh
カチュプラ Kachhpura
ギャラ・シディ Gyarah Sidi

Taj Mahal

タージ鑑賞案内

「ムムターズ（王冠）の宮殿」を意味するタージ・マハル
ドーム、本体、ミナレット、庭園などからなるムガル建築で
デリーのフマユーン廟で確立された様式を受け継ぐ最高傑作

タージ・マハルの構成

Taj Mahal ⓗ ताज महल ⓤ تاج محل

　タージ・マハルの築かれた地はアーグラ城から2km東に位置する。東西300m、南北560mに及ぶ長方形の広大な敷地は、三方向を壁で囲まれ、北方のジャムナ河の方向だけ開かれている。北4分の1が白大理石の墓廟に、中央4分の2を「楽園」が表現された庭園に、南4分の1が門建築からなる複合空間となっている。タージ・マハル霊廟本体のほか、西側にモスク、東側にメヘマーン・ハーナが赤砂岩で建てられている。

大楼門 ★★☆

Darwaza-i-Rauza ⓗ दरवाज़ा-ए-रौज़ा（गेट गेट）／ⓤ دروازۀ روضه

　タージ・マハルの正門にあたる大楼門ダルワザ・イ・ラウザ。堂々とした赤砂岩製の建築で、グレート・ゲート（偉大な門）とも呼ぶ。内部へ導くイワンにはタージ・マハル同様に美しい植物文様、カリグラフィーがほどこされている。

チャハール・バーグ ★★☆

Chahar Bagh／ⓗ चार-बाग़／ⓤ چهار باغ

　十字で区切られた庭園はチャハール・バーグ（4つの庭）と

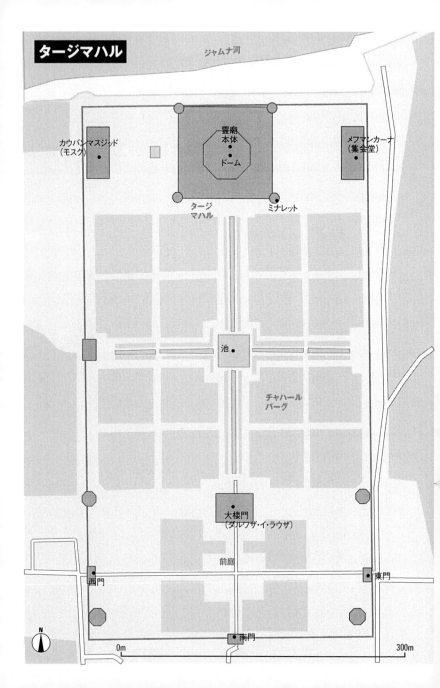

呼ばれ、初代バーブル帝によってインドにもちこまれた
ムガル式の庭園。もともとペルシャを起源とし、厳しい砂
漠気候にあって緑が茂り、水が流れる「楽園」にたとえら
れてきた(イスラム教の『コーラン』に描かれた楽園では、果樹が実り、天
女が待っているとされる)。水利技術も高く、5つの噴水が絶え
ることなくめぐるように設計されている。

ドーム ★★☆
Dome／(ヒ)गुंबद (ウ)گنبد

　空に映えるボリューム感ある印象的な白亜のドーム。
頂点から左右に曲線を描きながら広がり、ドーム下部で
少し引きしめられている。太陽の光を受けて影をつくる
など表情が変わっていくため、見る者ごとに異なる印象
をあたえる。廟本体に敷設された小さなドームを従えて
いて、またドームと左右のミナレットの調和が美しい。こ
のドームはペルシャで生み出された技法で、イスラム建
築に広く見られる。

墓廟本体 ★★☆
Body (ヒ)ताज महल (ウ)تاج محل

　八角形の平面に建てられた墓廟本体。内部は中央の部
屋を8つの部屋が二層(16部屋)で取り囲むプランをしてい

て、ハシュト・ベヘシュト(8つの楽園)と呼ばれる。霊廟を彩る装飾は、水仙、チューリップ、カーネーション、アイリスなどの花で彩られ、琥珀、瑠璃、翡翠などの宝石はそれぞれビルマ、中央アジアなどからとりよせられたのだという。皇帝と妃ムムターズ・マハルはその顔をメッカに向けるようにして葬られている。

ミナレット ★★☆
Minaret／ⓣमीनार　ⓤمنارة

タージ・マハルの四隅に立つ4本のミナレット。4本のミナレットは、それぞれ中央の皇妃ムムターズ・マハルに仕える4人の待女を意味する。本来、ミナレットはイスラム教の礼拝の呼びかけに使うものだが、タージ・マハルでは装飾、視覚効果を高め、本体を引き立てる役割を果たしている。また通常のイスラム建築では、ミナレットは本体と分離しているが、タージでは本体と一体化しているのも特徴。

カウバン・マスジッド ★★☆
Kau Ban Masjid　ⓣकायूबान मस्जिद／ⓤکاؤبان مسجد

タージ・マハル本体の西側に立つカウバン・マスジッド。このモスクはムガル帝国統治者がイスラム教徒であったことから、その礼拝のためにつくられた(タージ・マハルは礼拝所ではなく、墓＝霊廟)。タージ・マハルの対称性の原理を守るため、東西に同じ建物があり、メッカに向かって礼拝できるようにするためカウバン・マスジッドは西側にある。

メフマン・カーナ ★★☆
Mehmaan Khana　ⓣमेहमान ख़ाना　ⓤمہمان خانہ

西側のカウバン・マスジッドに対峙するように立つメ

本体壁面には美しい装飾が見られる

見事な線対称、世界でもっとも美しい建築にあげられる

タージ・マハルのすぐ裏側を流れるジャムナ河

タージ・マハルで出逢った人々

フマン・カーナ。モスクと同じ設計、デザインだが、こちら
は集会室となっている。この集会室メフマン・カーナは南
アジアで広く見られたもので、人びとが集まり、話をする
コミュニティセンターの役割をになってきた。

タージマハルプラン図

『タージ・マハル』
（アミーナ・オカダ・M.C.ジョシ/岩波書店）
掲載図をもとに作成

立面プラン

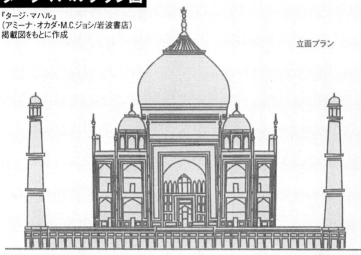

地階平面プラン

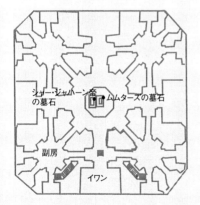

シャー・ジャハーン帝
の墓石　ムムターズの墓石

副房

イワン

屋上平面プラン

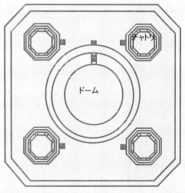

チャトリ

ドーム

0m　　　　　　　　　　50m

頂部のドーム屋根

ミナレットが本体を引き立てる

愛する皇妃への想いから

猛々しきラージプートの血をひくシャー・ジャハーン
ペルシャ名家の美しき女性ムムターズ・マハル
ふたりの愛は皇妃の死後も続き、永遠のものとなった

愛するムムターズのために

　タージ・マハルの最大の特徴は「神のための神殿(宗教)」や「王のための宮殿(権力)」でなく、「皇帝の愛する妻のための墓廟」であるという点にある。ムムターズはペルシャ出身のアーサフ・ハンの娘で、第4代皇帝の妻ヌール・ジャハーンを叔母にもつ名門の家柄に生まれた。一夫多妻制が宮廷の常識であった時代にあって、シャー・ジャハーン帝は愛するムムターズただひとりに14人の子どもを産ませ、皇帝の15人目の子どもの出産にあたって、ムムターズ・マハルは産褥熱で命を落とすことになった。フランス人宝石商ベルニエは「(ムムターズは)並外れた有名な美女で、彼はあまりに熱愛していたため、彼女の生きている限りは他の女性を見ることなく、その死後は自らも死のうとしたほど」(『ムガル帝国誌』)と記している。

ふたりの出逢い

　ふたりのはじめての出逢いは、アーグラ城で行なわれた宮廷の模擬市でのことだった。この催しでは宝石や調度品、装身具などがならべられ、王族や貴族は高級な品々を手にとって品評したり、気にいったものを買ったりし

ていた。ムムターズ・マハルは売り手として参加してお
り、シャー・ジャハーンは彼女の美しさに一目で心奪われ
た。ならべられていたガラス玉を手にとって、「これはい
くらか？」と尋ねたところ、彼女は「1万ルピー」といたず
らに法外な額を提示した。するとシャー・ジャハーンは値
切ることなく、黄金の入った袋をおいて無言で立ち去っ
たという。シャー・ジャハーンは、この美しい娘に激しい
恋心を抱き、1612年にふたりが結婚したとき、新郎は15
歳、新婦は12歳だった。

さる建築家の想い

タージ・マハルは、皇妃ムムターズ・マハルに恋してい
た建築家によって設計されたという説がある。墓廟の造
営を命じられた建築家は、ムムターズを想いながら設計
プランを練りあげてついに完成にいたった。その出来栄
えに感嘆したシャー・ジャハーンは、「褒美に何かとらせ
よう」と尋ねると、建築家は「ムムターズのための墓をつ
くれただけで充分で、何もいらない」と答えた。その言葉
を聴いてすべてを察した皇帝は「褒美を渡すので両手を
差し出すよう」に命じ、建築家の両腕を剣で切り落として
二度と仕事をできないようにしてしまったという。

Cantonment

新市街城市案内

デリーとの列車が発着するアーグラ・カント駅
こちらがアーグラ新市街で
タージ・マハルは東に5kmほど離れている

カントンメント ★☆☆
Cantonment ⓗ कन्टोनमेंट ⓤ ﮐﻨﭧﻮﻧﻤﻨﭧ

　アーグラカント駅のあるカントンメントは、イギリス
植民地時代に整備された（イギリスは陸軍の入植地としてカントン
メントを南アジア各地に設置した）。1803年にアーグラを領有し
たイギリスは、1805年にアーグラ州を設立。アーグラ旧
市街から見て西郊外にあたるこの地を入植地（新市街）とし
た。アーグラ・カントンメントには、キリスト教会、ベラン
ダをもつバンガロー、郵便局や学校などのコロニアル建
築が、今も残っている。

モール・ロード ★☆☆
Mall Road ⓗ मॉल रोड／ⓤ ﻣﺎﻝ ﺭﻭﮈ

　アーグラ・カント駅近くからジャムナ河ほとりのター
ジ・マハル方面へまっすぐ伸びるモール・ロード。イギリ
ス統治時代の19世紀末にアーグラに鉄道が整備され、こ
ちらに新市街がつくられたことから、アーグラの東西を
結ぶ大動脈となっている。モールとは「（公共の）通り」を意
味し、同時代に整備された同名の通りがラホール（パキスタ
ン）にもある。

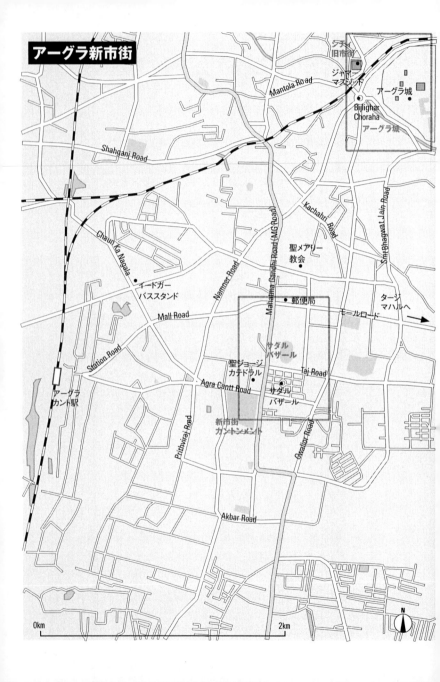

アーグラ新市街

ジャマー
旧市街
ジャマー
マスジッド
アーグラ城
Bijlighar
Choraha
アーグラ城

Mantola Road

Shahganj Road

Chaun Ka Nagala

イードガー
バススタンド

Namner Road

Mall Road

Station Road

アーグラ
カント駅

Prithviraj Road

Agra Cantt Road

Akbar Road

Kachahri Road

聖メアリー
教会

Mahatma Gandhi Road (MG Road)

郵便局

Smt Bhagwat Jain Road

ターシ
マハルへ

モールロード

サダル
バザール

Taj Road

聖ジョージ
カテドラル

サダル
バザール

新市街
カントンメント

Gwalior Road

0km   2km

N

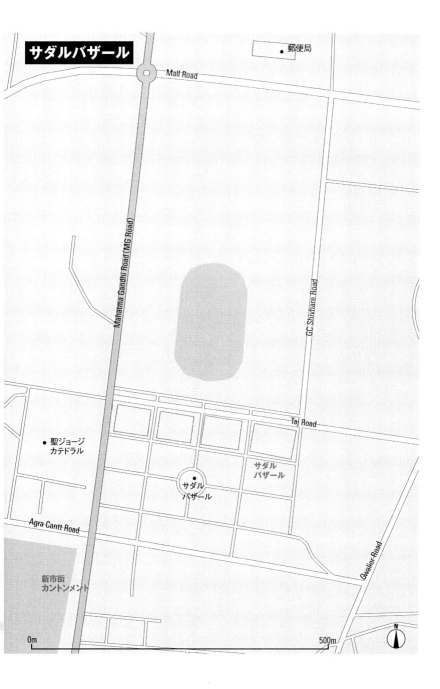

サダルバザール

郵便局

Mall Road

Mahatma Gandhi Road (MG Road)

GC Shivhare Road

Taj Road

聖ジョージ
カテドラル

サダル
バザール

サダル
バザール

Agra Cantt Road

Gwalior Road

新市街
カントンメント

0m 500m

N

サダル・バザール ★☆☆

Sadar Bazar　ⓣ सदर बाज़ार　ⓤ سدر بازار

　アーグラ・カント駅近く、新市街にあるサダル・バザール。インド料理店や皮革製品、衣料をあつかう店、雑貨店などが集まる。サダルとは「一番の」という意味で、古くからある旧市街(アーグラ城近く)のバザールに対してこのように呼ぶ。

聖ジョージ・カテドラル ★☆☆

St. George's Cathedral　ⓣ सेंट जॉर्ज कैथेड्रल　ⓤ سینٹ جارج کیتیڈرل

　聖ジョージ・カテドラルは、1826年にイギリス人技師の設計でつくられたキリスト教会。植民地時代、インドに派遣されたイギリス人が礼拝に訪れた。尖塔が立つ美しい教会で、アーグラにはこの聖ジョージ・カテドラル以外にも当時の教会がいくつか残っている。

郵便局 ★☆☆

Post Office　ⓣ डाक घर　ⓤ پوسٹ آفس

　1905年に建てられたアーグラの郵便局。アールデコ調の印象的な建築で、上部にドームが載り、白地に赤のラインがリズムをつくる。国家による事業、均一料金、平等性などを特徴とする近代郵便制度はイギリスで1840年からはじまり、世界各国に広まった。

★★★
アーグラ城 Agra Fort
★☆☆
カントンメント Cantonment
聖ジョージ・カテドラル St. George's Cathedral
郵便局 Post Office
モール・ロード Mall Road
サダル・バザール Sadar Bazar
シティ City
ジャマー・マスジッド Jamma Masjid

美しくサリーを着こなす女性

チャハール・バーグの庭園は天国が表現されているという

草花をモチーフにした文様が見える

シャー・ジャハーン帝とムムターズ・マハルが隣り合わせてまつられている

Old Agra
旧市街城市案内

現在のアーグラ市街は広域におよぶ
アーグラ城北側に広がるシティは
中世以来の伝統をもつ

シティ ★☆☆
City ⓣ सिटी ⓤ

　アーグラ城の北側に広がる旧市街のオールド・アーグラ。この地区はシティとも呼ばれ、鉄道のシティ駅が位置する。ジャマー・マスジッドはじめ、あたりの街区はムガル帝国以来の伝統をもつ。

ジャマー・マスジッド ★☆☆
Jamma Masjid ⓣ जामा मस्जिद ⓤ

　ジャマー・マスジッドは、イスラム教徒の金曜日の集団礼拝が行なわれるモスク。ムガル帝国時代の1645〜48年にかけて第5代シャー・ジャハーン帝とムムターズ・マハルの子であった王女ジャハーン・アーラーの命で造営された。礼拝堂はアーグラ城と同じくこの街の近郊で産出される赤砂岩がもちいられ、そのうえに白大理石のドームが3つならぶ（ミナレットはない）。16世紀にはイスラム王朝であるデリー・サルタナット（ローディー）朝の都がおかれ、その後もムガル帝国の都となったアーグラではイスラム教の伝統が現在まで息づいている。

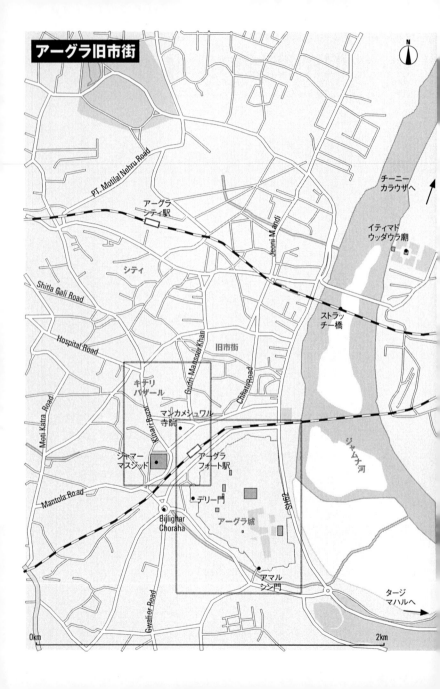

アーグラ旧市街

N

PT. Motilal Nehru Road

アーグラ
シティ駅

チーニー
カラウザへ

イティマド
ウッダウラ廟

シティ

Shitla Gali Road

Jeoni Mandi

Hospital Road

ストラッ
チー橋

旧市街

Chhatta Road

Gokul-Mansoor-Khan

キナリ
バザール

マンカメシュワル
寺院

Moti Katra Road

Kinari Bazar

ジャマー
マスジッド

アーグラ
フォート駅

ジャムナ河

デリー門

Mantola Road

アーグラ城

ST62

Bijlighar
Choraha

Gwalior Road

アマル
シン門

タージ
マハルへ

0km   2km

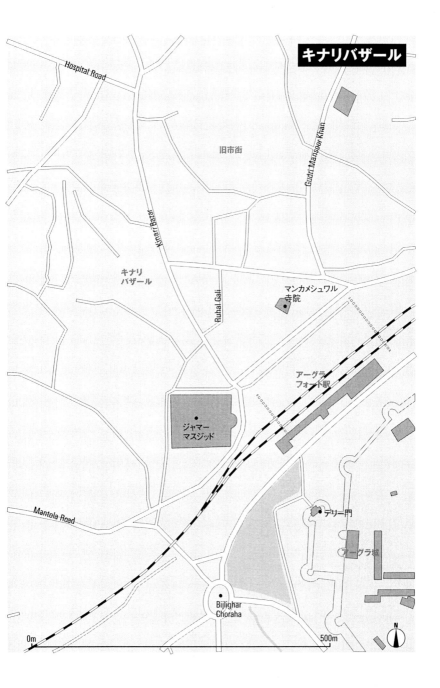

キナリ・バザール ★★☆

Kinari Bazar ／ⓗ किनारी बाज़ार ／ⓤ کناری بازار

　アーグラ城のデリー門、ジャマー・マスジッドから北西に広がるキナリ・バザール。アーグラ旧市街の入り組んだ路地のなか、香辛料、工芸品、衣料品などをあつかう店や料理店が集まる。このキナリ・バザールはムガル帝国(16～19世紀)時代以来の伝統的なバザールとして知られてきた。

マンカメシュワル寺院 ★☆☆

Shri Mankameshwar Mandir ／ⓗ मनकामेश्वर मंदिर ／ⓤ شری منکامیشور مندر

　アーグラ旧市街に立つヒンドゥー寺院のマンカメシュワル寺院。この寺院は、クリシュナがマトゥラーに生まれた時代(神話時代)にシヴァ神によってつくられたという(当時、ここはジャムナ河のほとりで、火葬場があった)。寺院名は「望み」を意味するマンカムナに由来し、銀色でおおわれたリンガ、眼を見開いたシヴァ神の像が安置されている。

ジャムナ河の恵みでアーグラは育まれた

シティの中心に立つジャマー・マスジッド

ナンを焼く店、焼きたてがおいしい

アーグラ城で出逢った少年

Agra Fort
アーグラ城鑑賞案内

鮮烈な印象をあたえる赤砂岩の色彩
威圧的なまでの威容をもつ城壁と門構え
この王城のなかにムガル皇帝の暮らしがあった

アーグラ城 ★★★
Agra Fort／ⓣ आगरा का किला　ⓤ قلعہ آگرہ

　ジャムナ河を背にして立つ赤砂岩のアーグラ城。ムガル帝国の王城として第3代アクバル帝治下の1563〜1573年に築かれ、その後、ジャハンギール帝、シャー・ジャハーン帝といったムガル皇帝と皇妃、王族たちが起居する場となった。アクバル帝による16世紀には宮殿のほとんどが赤砂岩製だったが、17世紀の第5代シャー・ジャハーン帝の時代に白大理石をもちいて再建され、また第6代アウラングゼーブ帝の時代に、強固な壁の外側にさらに堀がめぐらされた。ムガル宮廷がここにあったときにはデリー門内にバザールと城下町が敷設され、礼拝用のモスクも備えられていた（17世紀、デリーのシャージャハナーバード造営とともに遷都された）。現在、世界遺産に指定されている。

アマル・シン門 ★★☆
Amar Singh Gate　ⓣ अमर सिंह द्वार／ⓤ امر سنگھ دروازہ

　アーグラ城の正門にあたるアマル・シン門。赤砂岩色の堅ろうな門構えをし、イワン様式の通用口を抜けるとさらにアクバル門が立つなど防衛上強固なつくりとなっている。アマル・シンという名前は、ムガル帝国と同盟関係にあった17世紀のジョードプル王の名前に由来する。

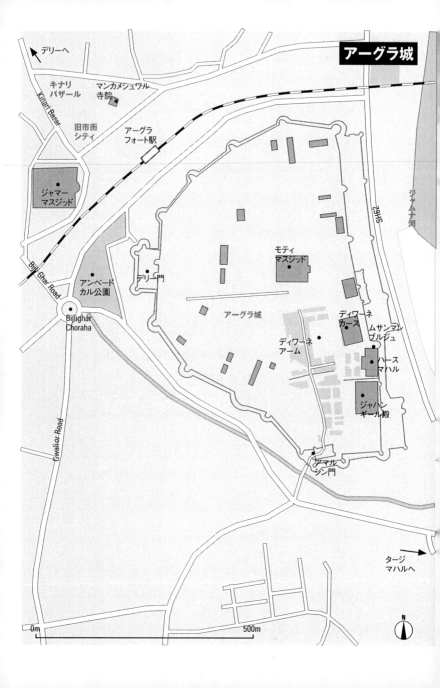

アーグラ城

デリーへ

キナリ
バザール
Kinari Bazar

マンカメシュワル
寺院

旧市街
シティ

アーグラ
フォート駅

ジャマー
マスジッド

Bijli Ghar Road

アンベード
カル公園

Bijlighar
Choraha

デリー門

モティ
マスジッド

アーグラ城

ディワーネ
アーム

ディワーネ
カース

ムサンマン
ブルジュ

ハース
マハル

ジャハン
ギール殿

Gwalior Road

アマル
シン門

SH29

ジャムナ河

タージ
マハルへ

0m   500m

N

ジャハンギール殿 ★☆☆

Jahangiri Mahal／ⓔ जहाँगीरी महल／ⓗ جہانگیری محل

　横に伸びる美しい建築ジャハンギール殿では、イスラム教とヒンドゥー教の融合を目指したアクバル帝の理念が表現されている。イスラム風の左右対称のファザードをもち、その上部にはヒンドゥー教のチャトリ(小塔)が載っている。赤砂岩をもとにした本体の窓枠などには、白大理石の装飾が見られる。現存するアーグラ城の建築のほとんどがシャー・ジャハーン帝時代のものだが、例外的にこの宮殿はアクバル帝時代のものとなっている。

ディワーネ・アーム(公的謁見殿) ★☆☆

Diwan-e Am　ⓔ दीवान-ए-आम／ⓗ دیوان عام

　ディワーネ・アームは、ムガル皇帝がその臣下や民に謁見した宮殿。皇帝の玉座が安置されており、皇帝はここで政治政策の上奏を受け、また統治する領土の状況や民の願いを聴く場所でもあった。アクバル帝のときに建てられた謁見殿は木製だったが、シャー・ジャハーン帝の時代に現在の白大理石の姿になった。9つのアーチをもつ正面をもち、なかに入ると、柱とアーチが森のように続く。

アーグラ城鑑賞案内

★★★
アーグラ城 Agra Fort
★★☆
アマル・シン門 Amar Singh Gate
ムサンマン・ブルジュ Musamman Burj
キナリ・バザール Kinari Bazar

★☆☆
ジャハンギール殿 Jahangiri Mahal
ディワーネ・アーム(公的謁見殿) Diwan-e Am
ディワーネ・カース(私的謁見殿) Diwan-e Khas
ハース・マハル Khas Mahal
モティ・マスジッド Moti Masjid
シティ City
ジャマー・マスジッド Jamma Masjid
マンカメシュワル寺院 Shri Mankameshwar Mandir
ジャムナ河 Jamuna River

アクバル帝の後宮

　インド史のなかでも名君のひとりに数えられるムガル帝国第3代アクバル帝。その後宮には5000人もの美女がいて、それらの女性をチェスの駒に見立て、等身大のチェスを愉しんだという。後宮の女性の世話にあたったのが宦官(去勢された男子)で、中国、ペルシャ、トルコなどの後宮で権力をふるう存在だった。

ディワーネ・カース (私的謁見殿) ★☆☆
Diwan-e Khas ／ⓔ दीवान-ए-खास ／ⓗ دیوان خاص

　一般向け謁見殿のディワーネ・アームに対して、ここディワーネ・カースは皇帝が都アーグラを訪れた貴賓と謁見する宮殿だった。宮殿の四隅にはチャトリが立つインド・イスラム様式の宮殿で、本体壁面は精緻な彫刻で彩られている。ムガル宮廷では、入口により近いところにディワーネ・アームが、その奥にディワーネ・カースがおかれた。

ムサンマン・ブルジュ ★★☆
Musamman Burj ／ⓔ मुसम्मन बुर्ज ／ⓗ مسلمان برج

　ムサンマン・ブルジュは息子のアウラングゼーブ(後の第6代皇帝)に幽閉されたシャー・ジャハーン帝が、その余生の7年を過ごした通称「囚われの塔」。八角形のプランをもち、ここの小さな窓からタージ・マハルを毎日、眺め、愛するムムターズ・マハルを偲んでいたという。1666年、74歳のシャー・ジャハーン帝は『コーラン』の朗唱を聴きながら亡くなり、その遺体はジャムナ河を船でくだって、タージ・マハルへと運ばれた。現在、シャー・ジャハーン帝はムムターズ・マハルの墓の脇に葬られている。

緑とピンクの衣装をまとった女性

アマル・シン門、ここから先がムガル帝国の宮廷アーグラ城

インドで産出される赤砂岩がもちいられている

アクバル帝の理想が具現されたジャハンギール殿

ハース・マハル ★☆☆

Khas Mahal Ⓗ खास महल／Ⓤ خاص محل

　皇帝の起居の場であったハース・マハル。シャー・ジャハーン帝が好んだ白大理石をもちいてつくられていて、皇帝が飲食をし、その寝室がおかれるといった生活空間があった。

芸術に没頭した皇帝

　第4代ジャハンギール帝は、芸術や自然を愛し、とくにその晩年、酒浸りになっていた。そのため皇帝の後半生は皇妃ヌール・ジャハーン（ムムターズ・マハルの叔母）とその一族に政治の実権がにぎられていた。あるとき皇妃が皇帝の飲酒癖に怒って、「自分の足に手をついて謝らないと許さない」と言い放った。皇帝に手をつけさせるわけにはいかないので、臣下は皇妃を中庭に立たせ、階上バルコニーに立った皇帝の手の影が彼女の足にふれるようにしたという。

ゴールデン・パビリオン ★☆☆

Golden Pavilions Ⓗ स्वर्ण मंडप／Ⓤ گولڈن پویلینز

　アーグラ城の穀倉の役割を果たしていたゴールデン・パビリオン。四隅のたれさがった屋根をもつ建築様式は、ベンガル地方の民家でもちいられるもので、ムガル帝国がベンガル地方を領域としたことで、アーグラやデリーにもとりいれられた。四隅がたれさがっているのは、雨の多いベンガル地方にあって、効率的に排水するための工夫だとされる。

モティ・マスジッド ★☆☆

Moti Masjid／⑪ मोती मस्जिद／⑦ موتی مسجد

　ムガル王族のための礼拝堂だった白亜のモティ・マスジッド(「真珠モスク」)。3つのドームがならび、モスク前の中庭には泉が配置されている。そのほかにも皇室用の礼拝堂である小さなミーナ・モスク、宮廷の女官たち(ゼーナ)のための礼拝堂ナギーナ・モスクなどがあった。

皇帝が人々と謁見したディワーネ・アーム

シャー・ジャハーン帝が幽閉されたムサンマン・ブルジュ

アーグラ観光に訪れていた親子

金色の屋根を載せるゴールデン・パビリオン

ジャムナ左岸城市案内

ジャムナ橋で結ばれたアーグラの右岸と左岸
左岸にはイティマド・ウッダウラ廟、チーニー・カ・ラウザなど
ムガル帝国時代の遺構が残る

ジャムナ河 ★☆☆
Jamuna River ⓗ यमुना नदी ⓤ دریائے جمنا

　ジャムナ河はヒマラヤの雪解け水を集めてウッタラーンチャル州からくだり、デリーを通って、マトゥラー、アーグラといった街をうるおしてアラハバードでガンジス河と合流する。全長は1380kmになり、アーグラやデリーといった街は、この河の恵みを受けることで発展してきた。タージ・マハルはジャムナ河が大きく流れを変える強い地盤に築かれていて、その対岸にはヒンドゥー教徒のための火葬場が見られる(イスラム教は土葬)。またヒンドゥー教ではこの河はジャムナ女神として神格化され、信仰の対象にもなっている。

ストラッチー橋 ★☆☆
Strachey Bridge ／ ⓗ स्ट्रेची ब्रिज ／ ⓤ اسٹریچی پل

　ジャムナ河を往来するため、1860年に架けられたストラッチー橋。東インド鉄道会社(のちのEIR)によるもので、当時の鉄骨のたたずまいを今も残している(この会社はロンドンで資本を集めて設立された)。

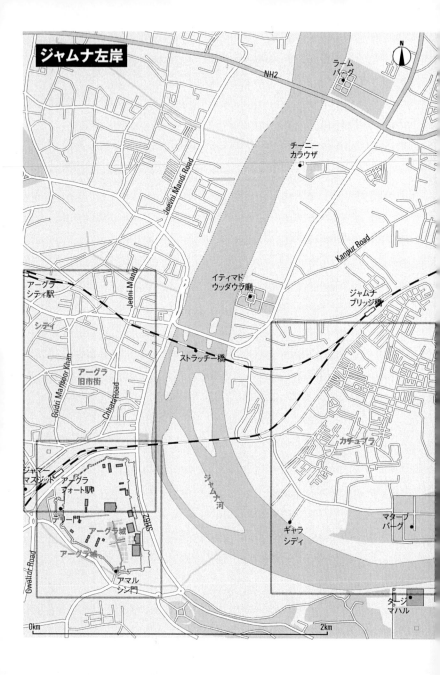

ジャムナ左岸

NH2

ラーム
バーグ

チーニー
カラウザ

Kanpur Road

Jeoni Mandi Road

アーグラ
シティ駅

シティ

Jeoni Mandi

イティマド
ウッダウラ廟

ジャムナ
ブリッジ橋

Gudri Man Soor Khan

アーグラ
旧市街

ストラッチー橋

Chhata Road

ジャマー
マスジッド

アーグラ
フォート駅

デリー門

カチェプラ

SH62

アーグラ城

Gwalior Road

アーグラ城

アマル
シン門

ジャムナ河

ギャラ
シディ

マタープ
バーグ

タージ
マハル

0km   2km

イティマド・ウッダウラ廟 ★★☆

Mausoleum of Itimad ud Daula／ⓗ एतमादुद्दौला का मकबरा／
ⓤ مقبرہ اعتماد الدین

　　イティマド・ウッダウラはペルシャ出身のムガル帝国
宰相ミルザー・ギヤース・ベーグの称号で、「王家の柱」を
意味する。墓廟におさめられたミルザー・ギヤース・ベー
グは第4代ジャハンギール帝の皇妃ヌール・ジャハーンの
父親で、皇妃とその一族は政治に興味を失った皇帝から
実権を奪って宮廷に勢力を誇った(この霊廟はヌール・ジャハー
ンの命で建てられた)。白大理石で覆われた美しい建物の外壁
には、黄色や茶色などの各種大理石がはめこまれていて、
このイティマド・ウッダウラ廟で見られる技術は、ター
ジ・マハルでも応用されている。

チーニー・カ・ラウザ ★☆☆

Chini Ka Rauza／ⓗ चीनी का रौज़ा／ⓤ چینی کا روزہ

　　チーニー・カ・ラウザには、ムガル帝国第5代シャー・
ジャハーン帝のときの大臣、詩人であったシーラーズの
アラーマ・アフザル・ジャン・シュクルラーの墓廟。チー
ニーとは中国のものという意味で、壁面にほどこされた
青のタイルが中国製であることから、「チャイナ・タンブ

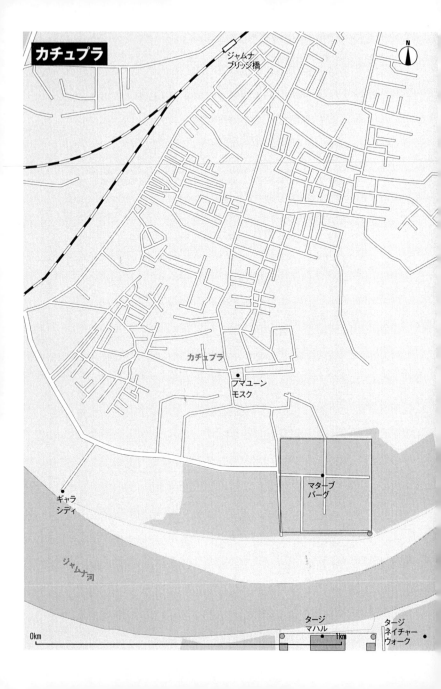

（中国の墓）」ともいう（青のタイルにペルシャの植物文様が見える）。1635年に建てられ、アラーマ・アフザル・ジャン・シュクルラーが1639年にラホールでなくなった後、アーグラに運ばれてきた。

ラーム・バーグ ★☆☆
Ram Bagh／ⓗ राम बाग／ⓤ باغ رام

　幾何学的、対称性といった特徴をもつラーム・バーグは、ムガル帝国初代バーブル帝によってインドではじめて造営されたムガル庭園。インドに進出したバーブルがまず行なったことが、イスラム聖者の墓に巡礼することと、庭園造営のための土地を探すことであった（バーブルは非対称的なインドの建築、自然が好きになれず、整然とした対称性をもつペルシャ・イスラム様式の庭園が造営された）。バラや水仙の咲く美しい花壇、果樹園が広がっていたと伝えられるが、現在もレンガの敷かれた歩道や庭園に水をひいた水路、ジャムナ河に臨む基壇跡が残っている。

マターブ・バーグ ★☆☆
Mehtab Bagh／ⓗ महताब बाग／ⓤ باغ مهتاب

　ジャムナ河をはさんでちょうどタージ・マハルの対岸に位置するマターブ・バーグ。シャー・ジャハーン帝は、ムムターズの墓「白のタージ」に対して、ここに同じプランで黒大理石を用いた自身の墓「黒のタージ」をつくろうとしていたという話が残っている（完全な対称が美とされるイスラム世界にあって、タージ・マハルは線対称であるが点対称でなく、新たに黒

のタージをつくることで完全な対称の実現を試みようとした）。ふたつの墓のあいだには橋が架けられる予定だったというが、シャー・ジャハーン帝が三男アウラングゼーブに幽閉されたことで叶わなかった。ここから月夜の美しいタージ・マハルが見られることから「月光の庭園」ともいう。

カチュプラ ★☆☆
Kachhpura ／ⓗ कछपुरा ／ⓤ کچهپورا

　タージ・マハルから見てジャムナ河の対岸に位置するカチュプラ。このあたりはヒンドゥー教徒であるカッチワーハ氏族の土地であったが、シャー・ジャハーン帝がラジャ・マーン・シンに4つの宮殿をあたえる代わりに帝国領にくみこんだ。壁や地面に書かれるアート、靴づくりなど、ムガル帝国時代から続く農村の生活が見られる（ムガル・ヘリテージ・ウォーク）。カチュプラ村にはフマユーン・モスクが位置する。

ギャラ・シディ ★☆☆
Gyarah Sidi 　ⓗ ग्यारह सीढ़ी　ⓤ گیاره سیڑهی

　ギャラ・シディはムガル帝国第2代フマユーン帝によるジャンタル・マンタル（天文観測所）の遺構。占星術に強い関心をもったフマユーン帝は天文観測所をつくったが、11段階段のギャラ・シディだけが残っている。ここからはタージ・マハルとアーグラ城の双方をのぞむことができる。

アーグラの古い街並み

ムガル帝国の宰相が眠るイティマド・ウッダウラ廟

昔ながらの伝統的な生活ぶりも見える

デリーとの列車が発着するアーグラ・カント駅

市街北部城市案内

アーグラ市街北部には
「赤のタージ」ことジョン・ウィリアム・ヘッシングの墓
こちらもタージを彷彿とさせるソアミ・バーグが立つ

ソアミ・バーグ ★☆☆
Soami Bagh／ⓗ स्वामी बाग ⓤ سوامی باغ

　ソアミ・バーグは、アーグラを拠点に布教を行なった
ラーダ・ソアミを信仰する新興宗教の拠点。ラーダ・ソア
ミは19世紀末から20世紀に生き、至高の存在（神）が人間
の姿で現れたとされる（ラーダ・ソアミが自らをグルと称したため、
シク教の一派ともみなされる）。タージ・マハルを思わせる白大
理石のドームをもち、その周囲に4本の尖塔が立つ。

ローマ・カトリック墓地 ★☆☆
Roman Catholic Cemetery ⓗ रोमन कैथोलिक कब्रिस्तान／
ⓤ رومن کیتھولک قبرستان

　この地でなくなったキリスト教徒が埋葬されたローマ・
マ・カトリック墓地。北インドでもっとも古いキリスト教
徒の墓地で、1550年のアルメニア人の墓も残る（ヒンドゥー
教徒は火葬された）。「赤いタージ・マハル」と呼ばれるジョン・
ウィリアム・ヘッシングの墓が特筆されるほか、タージ・
マハルの設計に参加したともいうジェローム・ヴェロニ
オの墓、イタリアの宝石細工師ホルテンツィオ・ブロン
ゾーニの墓などが残る。

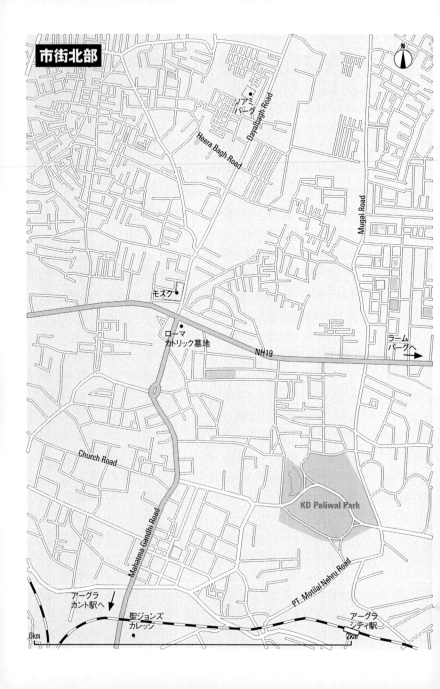

聖ジョンズ・カレッジ ★☆☆

St. John's College Ⓔ सेंट जॉन्स कॉलेज Ⓗ سینٹ جان کالج

　　アーグラ布教にあたったキリスト教の宣教協会によって1850年に設立された聖ジョンズ・カレッジ。1914年に建てられたヨーロッパのゴシック様式とラージプート様式が融合した赤砂岩の壮大な建築が見られる（インド・サラセン様式）。このカレッジには、ヒンドゥー教徒やイスラム教徒が通った。

★☆☆
ソアミ・バーグ *Soami Bag*
ローマ・カトリック墓地 *Roman Catholic Cemetery*
聖ジョンズ・カレッジ *St. John's College*

タージ・マハルにほどこされた装飾

堂々としたたたずまい

Machi No Utsurikawari

城市のうつりかわり

ムガル帝国の都として繁栄をきわめたアーグラ
この街はさまざまな王朝による争奪の場となってきた
中世インドの面影を伝える古都の変遷

イスラム王朝以前

　アーグラは絶えることないジャムナ河の恵みで育まれた。この街の歴史は古く、古代インドの叙事詩『マハーバーラタ』でもアグラバナ（楽園）の名前が見られる。カイバル峠を越えて北西から新たな勢力が侵入し、土着の勢力と融合してきたインド史にあって、アーグラはガンジス中流域、デカン高原、インド西部へといたる交通の要衝となってきた。

ローディー朝の都シカンドラ（16世紀初頭〜）

　ローディー朝の第2代シカンダル・ローディーが、それまでの都デリーからより政治、軍事面に優れ、ジャムナ河の水利があるアーグラに遷都することで現在まで続く街がつくられることになった。16世紀初頭にシカンダル・ローディーの支配下に入ったあと、自身の名前を冠した街の造営が行なわれ、その地名はアクバル廟が位置するシカンドラとして残っている（シカンダルはこの地で没したが、その墓はデリーにある）。シカンダルの死後、ローディー朝は混乱し、ムガルの侵入を受けることになった。

王朝の交代、バーブル帝入城 (1526年〜)

　1526年、パニーパットの会戦でローディー朝に勝利した初代バーブル帝はアーグラに入城し、ムガル帝国が樹立された。ムガル帝国は初代バーブル帝から第2代フマユーン帝に受け継がれるが、その支配基盤は脆弱で、やがてガンジス河近くビハールの領主シェール・シャーが台頭し、ムガル軍を破って1540年にアーグラの主となった（シェール・シャーは皇帝を宣言し、スール朝が樹立された）。ムガル王族は隣国ペルシャのサファヴィー朝の宮廷へ避難し、再び、インドへ進出する機会をうかがっていた。

ムガル帝国の都アクバラバード (1564年〜)

　街道の整備や税制改革を行なったシェール・シャーの政策は、のちのムガル帝国の安定につながったと言われる。1545年のシェール・シャーの死後、ムガル軍は勢力を盛り返し、第3代アクバル帝は1564〜75年にかけてアーグラ城を築き、ムガル帝国の都がおかれることになった（アーグラはアクバル帝の名前をとって、「偉大なる都」アクバラバードと呼ばれていた）。また1569〜74年にかけてアーグラ西40kmに都ファテープル・シークリーも造営され、帝国の繁栄は絶頂を迎えていた。以後、第4代ジャハンギール帝の時代にはラホールに都が遷されたが、第5代シャー・ジャハーン帝はアーグラで即位し、この時代にタージ・マハルがつくられることになった。

マラータ同盟の侵入 (18世紀〜)

　ムガル帝国の支配基盤は、皇帝と地方の有力者が主従関係を結ぶことで成り立っていたが、やがて徴税体制が崩壊し、中インドのマラータ同盟、パンジャーブのシク

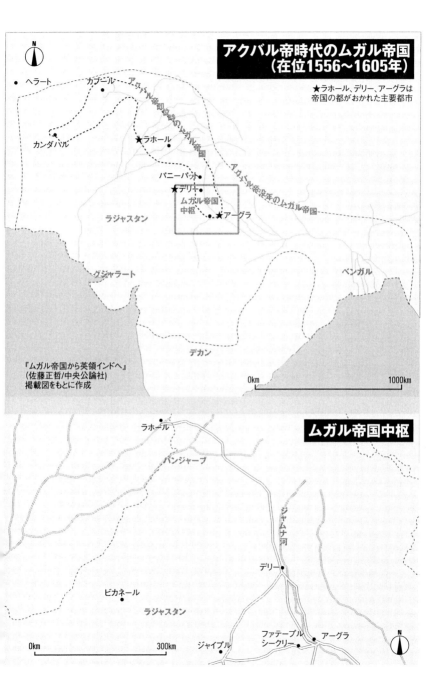

アクバル帝時代のムガル帝国
（在位1556〜1605年）

★ラホール、デリー、アーグラは
帝国の都がおかれた主要都市

ヘラート

カブール

アクバル帝即位時のムガル帝国

アクバル帝没年のムガル帝国

★ラホール

カンダハル

パニーパット

★デリー

ムガル帝国
中枢

★アーグラ

ラジャスタン

グジャラート

ベンガル

デカン

『ムガル帝国から英領インドへ』
（佐藤正哲/中央公論社）
掲載図をもとに作成

0km　　　　　　　　1000km

ムガル帝国中枢

ラホール

パンジャーブ

ジャムナ河

デリー

ビカネール

ラジャスタン

0km　　　　300km

ジャイプル

ファテープル
シークリー

アーグラ

教徒、ベンガルのイギリス東インド会社などが各地方で勢力をもつようになった（また農民カーストのジャートがデリー、アーグラで反乱を起こすなど混乱状態にあった）。1707年のアウラングゼーブ帝死後、ヒンドゥー教徒のマラータ同盟が勢力を増してアーグラへ入城し、アーグラ城を明け渡したムガル帝国はデリー近郊の小さな勢力へと成りさがった。

イギリス東インド会社の保護下へ（19世紀〜）

　プラッシーの戦い以後、ベンガル地方の徴税権をにぎったイギリス東インド会社は、その勢力を拡大し、三度にわたるマラータ戦争でイギリスがインド全域を支配するようになった。アーグラは1803年にイギリス東インド会社の支配下に入ったが、そのときに財宝はほとんど残っていなかったという。1833〜58年にかけてアーグラは、イギリス東インド会社のアーグラ管区の中心地として、綿花や石材などの集散地となった。

近代から現代へ（20世紀〜）

　インドが近代から現代を迎えるなか、インドの中心はイギリス東インド会社の首都として発展したコルカタ、ムガル帝国の皇帝が最後に暮らしたデリー、またインド洋に面したムンバイやチェンナイへと遷っていった。1947年には、「インド」と「イスラム教徒のインド（パキスタン）」が分離独立することになり、アーグラに暮らしていたイスラム教徒の多くが、パキスタンへと移住した。現在、アーグラにはタージ・マハルやアーグラ城などムガル帝国以来の史蹟が残り、インド屈指の観光地となっている。

『タージ・マハル』(アミーナ・オカダ/岩波書店)

『タージ・マハル物語』(渡辺建夫/朝日新聞社)

『インド建築案内』(神谷武夫/TOTO出版)

『ムガル美術の旅』(山田篤美/朝日新聞社)

『世界の歴史14ムガル帝国から英領インドへ』(佐藤正哲/中央公論社)

『世界大百科事典』(平凡社)

『Ancient and ancestral Agra』(Free Press Journal; Mumbai)

『Century old monument in Agra cries for attention』(The Hindustan Times; New Delhi)

Taj Mahal-Official Website of Taj Mahal https://www.tajmahal.gov.in/

Welcome to UP Tourism http://www.uptourism.gov.in/

District Agra,Government Of Uttar Pradesh　http://agra.nic.in/

OpenStreetMap

(C)OpenStreetMap contributors

アーグラ／タージ・マハルと「愛の物語」

まちごとパブリッシングの旅行ガイド

Machigoto INDIA , Machigoto ASIA , Machigoto CHINA

マカオ-まちごとチャイナ

Juo-Mujin（電子書籍のみ）

自力旅游中国Tabisuru CHINA

旅のインド文字

英語
ヒンディー語
ウルドゥー語

英語 = アルファベット
ヒンディー語 = デーヴァナーガリー文字
ウルドゥー語 = ウルドゥー文字

アーグラ
Agra

आगरा

آگرہ

タージ・ガンジ
Taj Ganj

ताजगंज

تاج گنج

タージ・ネイチャー・ウォーク
Taj Nature Walk

ताज नेचर वॉक

تاج فطرت واک

前庭
Jilaukhana

जिलौखाना

باغ

タージ・マハル
Taj Mahal

ताज महल

تاج محل

大楼門
Darwaza-i-Rauza

दरवाजा-ए-रौज़ा(ग्रेट गेट)

درواز روضہ

チャハール・バーグ	墓廟本体
Chahar Bagh	Body
चार-बाग	ताज महल
چارباغ	تاج محل

ドーム	ミナレット
Dome	Minaret
गुंबद	मीनार
گنبد	مینار

カウバン・マスジッド	メフマン・カーナ
Kau Ban Masjid	Mehmaan Khana
कायू बान मस्जिद	मेहमान ख़ाना
مسجد تاج محل	مہمان خانہ

カントンメント	聖ジョージ・カテドラル
Cantonment	St. George's Cathedral
कन्टोनमेंट	सेंट जॉर्ज कैथेड्रल
کلیٹینمنٹ	سینٹ جارج کیتیڈرل

郵便局
Post Office

डाक घर

پوسٹ آفس

モール・ロード
Mall Road

मॉल रोड

مال روڈ

サダル・バザール
Sadar Bazar

सदर बाजार

صدر بازار

アーグラ城
Agra Fort

आगरा का किला

قلعہ آگرہ

アマル・シン門
Amar Singh Gate

अमर सिंह द्वार

امر سنگھ دروازہ

ジャハンギール殿
Jahangiri Mahal

जहाँगीरी महल

جہانگیری محل

ディワーネ・アーム（公的謁見殿）
Diwan-e Am

दीवान-ए-आम

دیوانِ عام

ディワーネ・カース（私的謁見殿）
Diwan-e Khas

दीवान-ए-खास

دیوان خاص

ムサンマン・ブルジュ
Musamman Burj

मुसम्मन बुर्ज़

مسلمان برز

ハース・マハル
Khas Mahal

खास महल

خاص محل

ゴールデン・パビリオン
Golden Pavilions

स्वर्ण मंडप

گولڈن پویلینز

モティ・マスジッド
Moti Masjid

मोती मस्जिद

موتی مسجد

シティ
City

सिटी

شہر

ジャマー・マスジッド
Jamma Masjid

जामा मस्जिद

جامع مسجد

キナリ・バザール
Kinari Bazar

किनारी बाजार

کناری بازار

マンカメシュワル寺院
Shri Mankameshwar Mandir

मनकामेश्वर मंदिर

مانکمیشور مندر

イティマド・ウッダウラ廟
Mausoleum of Itimad ud Daula

एतमादुद्दौला का मकबरा

مقبرہ اعتماد الدین

チーニー・カ・ラウザ
Chini Ka Rauza

चीनी का रौज़ा

چینی کا روضہ

ラーム・バーグ
Ram Bagh

राम बाग

رام باغ

ジャムナ河
Jamuna River

यमुना नदी

دریائے جمنا

ストラッチー橋
Strachey Bridge

स्ट्रेची ब्रिज

سٹرچی پل

マターブ・バーグ
Mehtab Bagh

महताब बाघ

مہتاب باغ

カチュプラ
Kachhpura

कछपुरा

کچپورہ

ギャラ・シディ
Gyarah Sidi

ग्यारह सीढ़ी

گیارہ سیڑھی

ソアミ・バーグ
Soami Bagh

स्वामी बाग

سلام باغ

ローマ・カトリック墓地
Roman Catholic Cemetery

रोमन कैथोलिक कब्रिस्तान

رومن کیتھولک قبرستان

聖ジョンズ・カレッジ
St. John's College

सेंट जॉन्स कॉलेज

سینٹ جان کالج

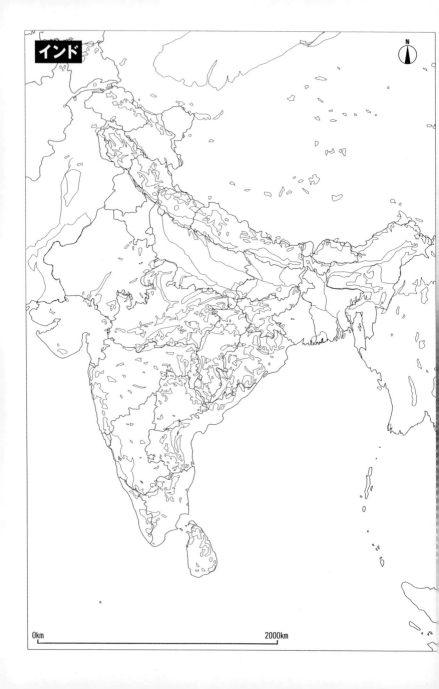

インド

0km　　　　　　　　　　　　　2000km

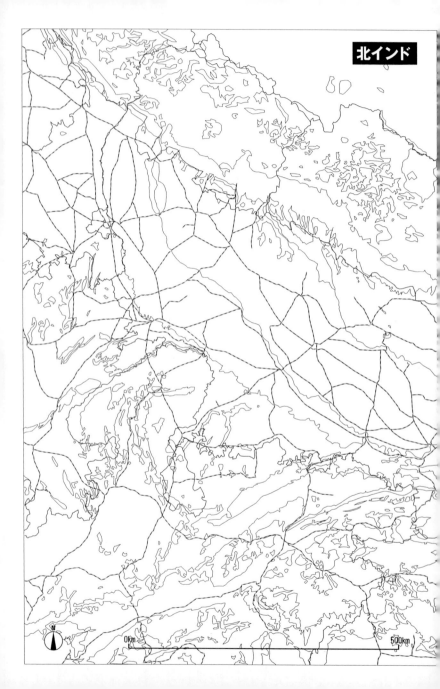

北インド

0km   500km

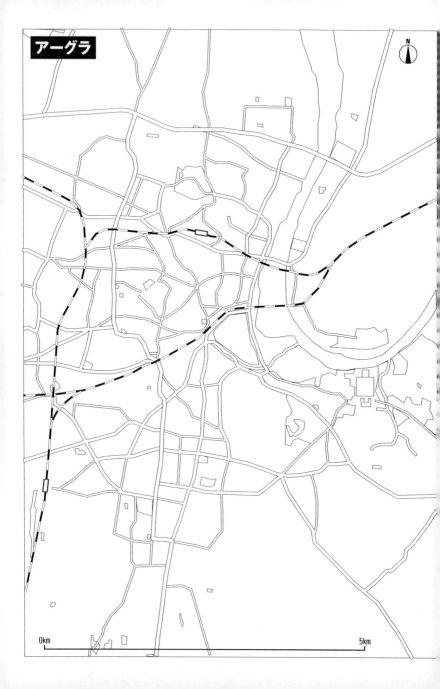

アーグラ

N

0km   5km

タージガンジ

N

0km　　　　　　　　　　　　　　　　　　　　　　　　　　　2km

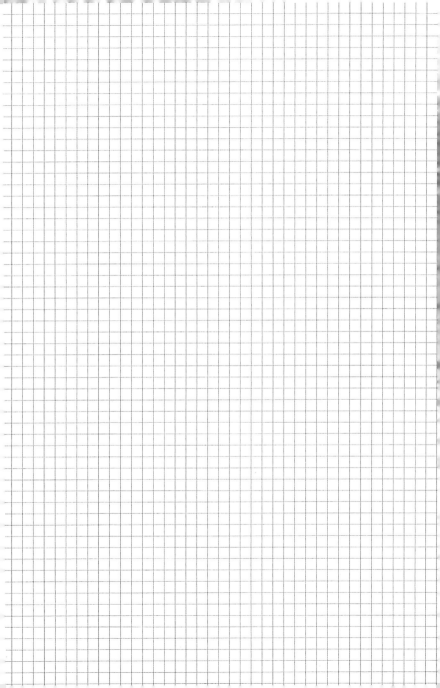

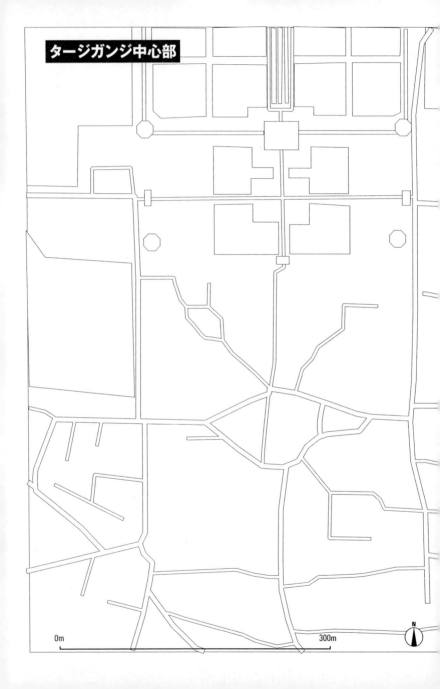

タージガンジ中心部

0m   300m

N

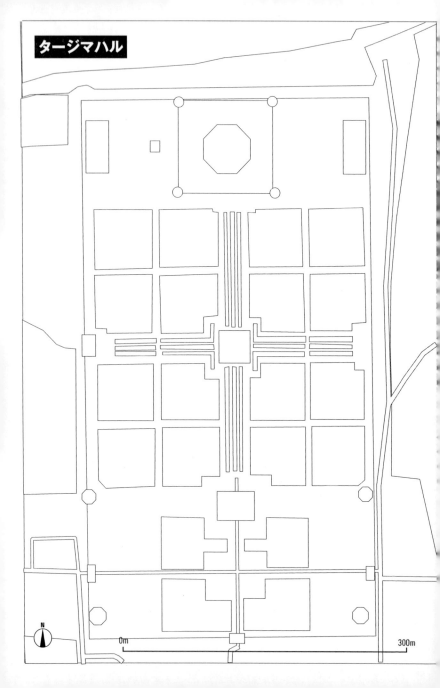

タージマハル

N

0m　　　　　　　　　　　　　　　　　　300m

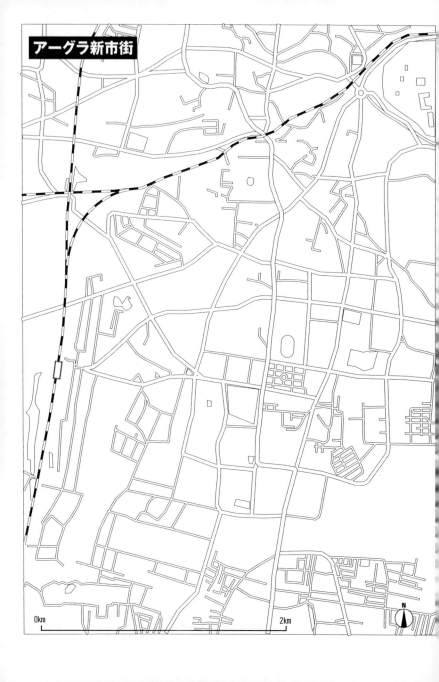

アーグラ新市街

0km　　　　　　　　　　　　　　　　　2km

N

サダルバザール

0m　　　　　　　　　　　　500m

N

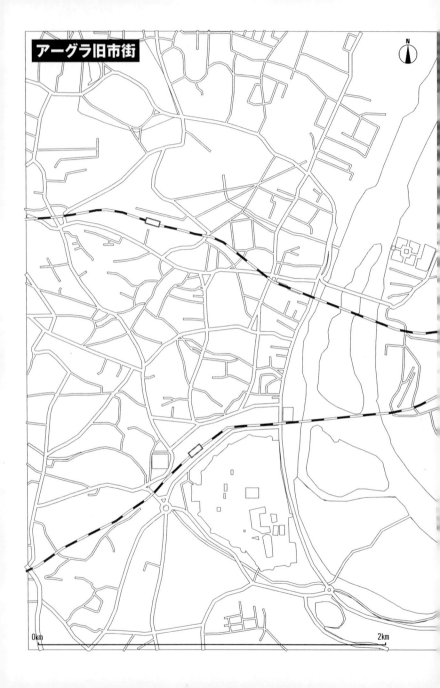

アーグラ旧市街

N

0km   2km

キナリバザール

0m 500m

N

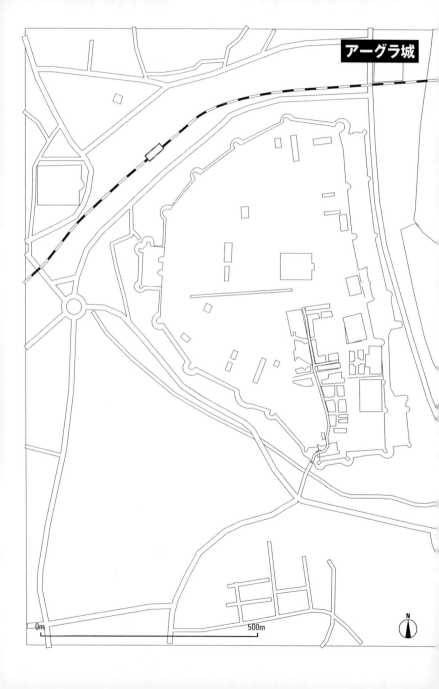

アーグラ城

0m   500m

N

ジャムナ左岸

0km　　　　　　　　　　　　　　2km

カチュプラ

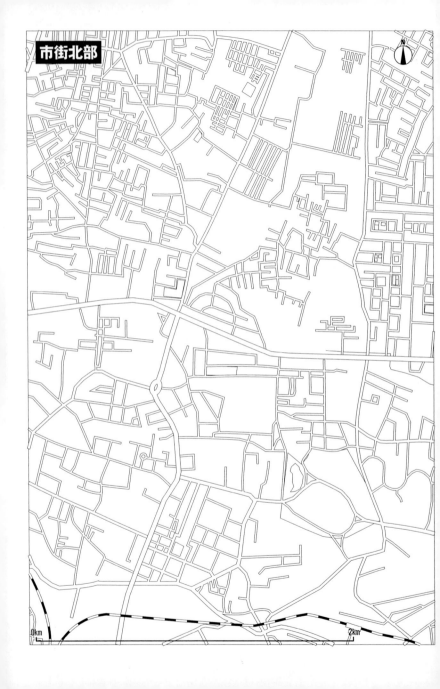

市街北部

0km   2km

【車輪はつばさ】
南インドのアイラヴァテシュワラ寺院には
建築本体に車輪がついていて
寺院に乗った神さまが
人びとの想いを運ぶと言います

An amazing stone wheel of the Airavatesvara Temple
in the town of Darasuram, near Kumbakonam in the South India

まちごとインド
北インド 012

アーグラ
タージ・マハルと「愛の物語」
[モノクロノートブック版]

「アジア城市(まち)案内」制作委員会
まちごとパブリッシング
http://machigotopub.com

・本書はオンデマンド印刷で作成されています。
・本書の内容に関するご意見、お問い合わせは、発行元の
　まちごとパブリッシング info@machigotopub.com までお願いします。

まちごとインド
新版 北インド012アーグラ
～タージ・マハルと「愛の物語」

2020年 8月15日　発行

著　者　　「アジア城市（まち）案内」制作委員会
発行者　　赤松　耕次
発行所　　まちごとパブリッシング株式会社
　　　　　〒181-0013　東京都三鷹市下連雀4-4-36
　　　　　URL http://www.machigotopub.com/
発売元　　株式会社デジタルパブリッシングサービス
　　　　　〒162-0812　東京都新宿区西五軒町11-13
　　　　　清水ビル3F

印刷・製本　　株式会社デジタルパブリッシングサービス
　　　　　URL http://www.d-pub.co.jp/

MP316
ISBN978-4-86143-468-6 C0326　　　　Printed in Japan